國家圖書館藏·蒙學善本

書言故事大全

第七册

鳳凰出版社

國家圖書館藏·東學善本

書言故事大全

第七冊

鳳凰出版社

不為怨府

包藏禍心

包藏禍心

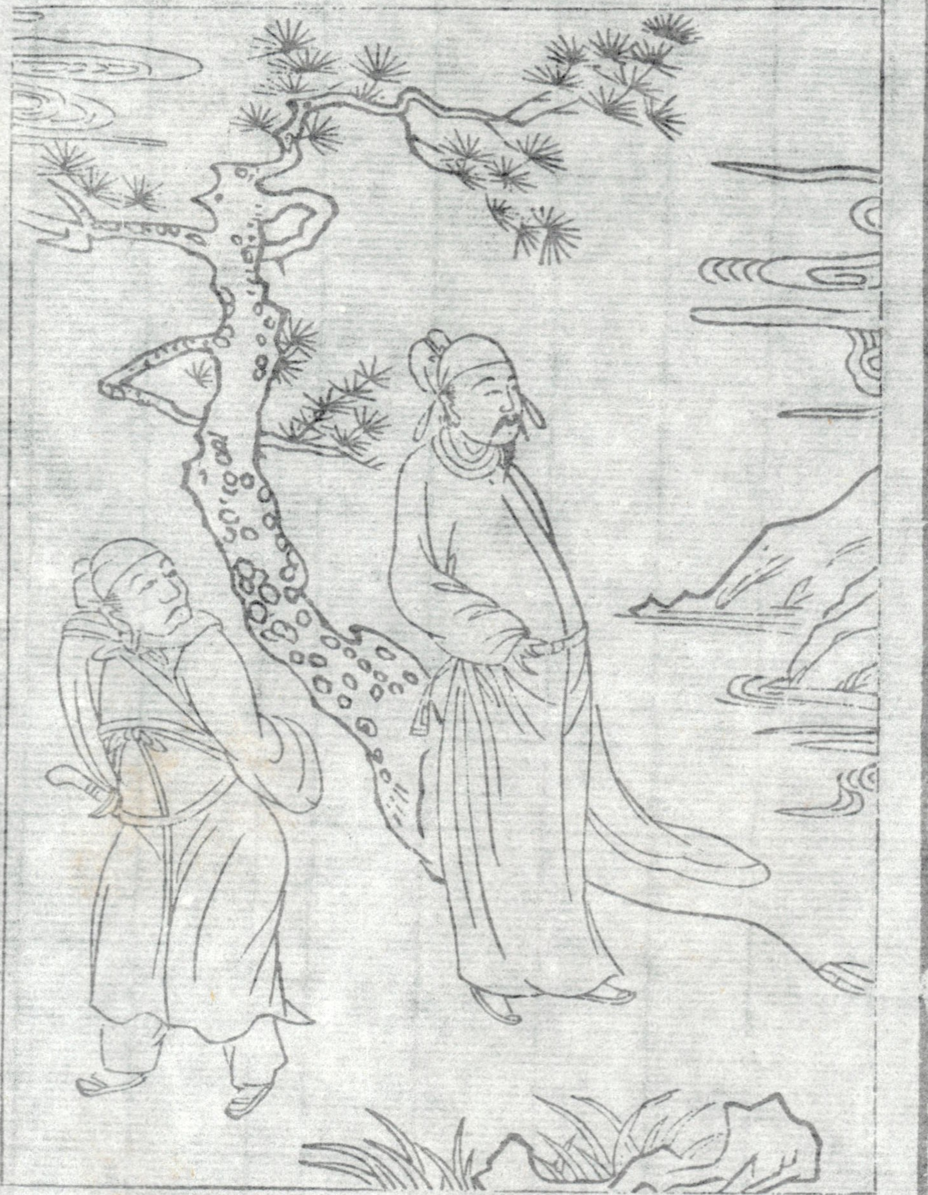

不爲怨府

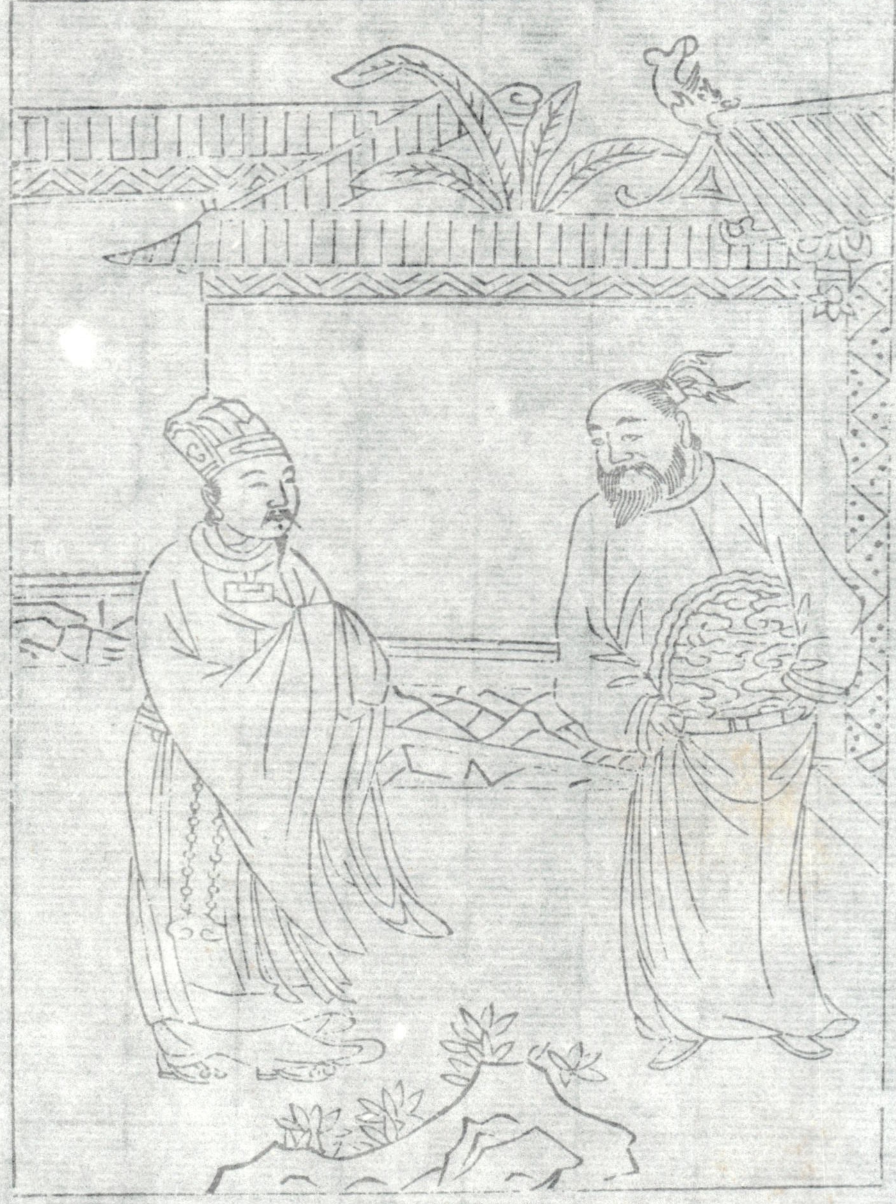

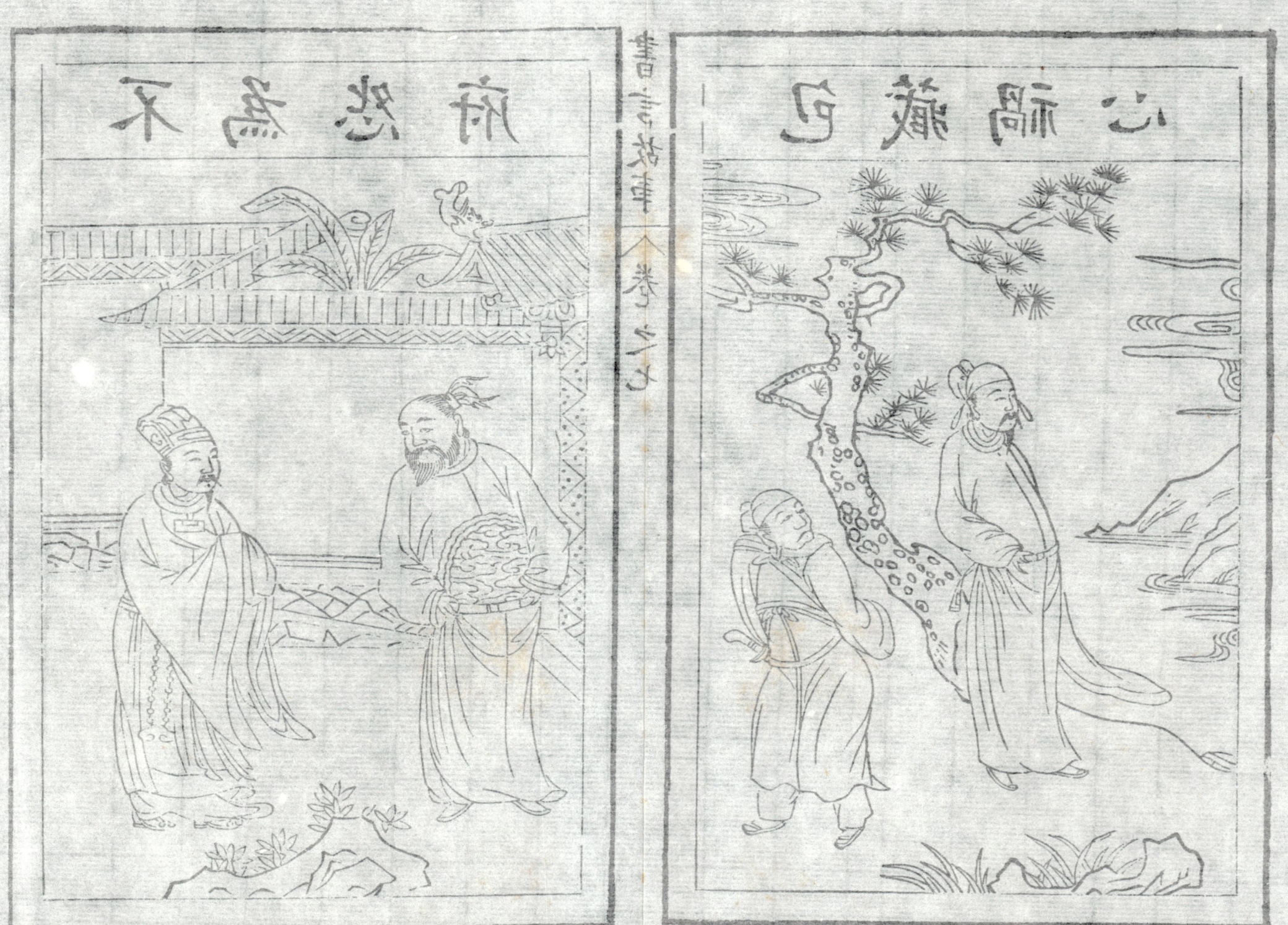

書言故事大全卷之七

廬陵　胡繼宗　集
安成　陳玩直　解

○怨讎類

怨府（左）昭公十二年　魯季平子欲使昭子逐叔仲小季平子魯大夫季孫意如也昭子魯大夫叔孫婼也叔仲小叔孫家臣與南蒯公子憖共謀季氏季氏乃使昭子逐之〔釋注〕婼長入声蒯音快小不敢朝仲小聞昭子來逐已故不敢朝昭子命吏謂小曰吾不為怨府府聚也昭子言我不能為季氏逐汝以為生怨禍之聚也○此節所許皆出釋之孝之昭公十二年與此類不同

構怨　構結怨讎（詩）兎爰篇名閔周也。桓王失信諸侯嘗救構怨連禍據春秋傳鄭伯不朝王以諸侯伐鄭鄭伯禦之王卒大敗祝聃射王中肩之事然未有以見此詩之為是而作也

報怨　語憲問篇或曰。以德報怨何如德謂恩惠也言以德報怨則何如子曰何以報德言於其所怨既以德報之矣則人之有德於我者又將何以報之乎以直報怨於其所怨者愛憎取捨。一以至公而無私。所謂直也以德報德人之有德於我者則必以德報之不可忘也

睚眦　睚音崖去声眦音蔡（漢）郭解關東大俠郭解居關東乃大豪俠之士平生睚眦睚眦瞋目也言有人舉目相觸忤者即報之也（杜欽傳）報睚眦之

書言故事大全卷之八

怹

稔惡 稔音忍 積惡深曰稔惡（左）昭十八年 二月乙卯。（周）毛得過音戈下同 殺毛伯過而代之毛伯過周大夫得過之族也。代之弒之而代居其位 萇音長 弘曰毛得過必亡是昆吾稔之日也昆吾夏伯也稔熟也。侈惡積熟以乙卯日與桀同誅。○考之昭公十八年且無所載但依日注及標題錄之

惡貫 罪惡貫盈（書）泰誓篇 武王曰商罪貫盈。天命誅之貫穿也。盈滿也。商紂罪惡如遇穿物盈滿故天命我誅戮之

禍胎 （枚乘傳）曰福生有基基屋基址也。人之福生必先積善。亦猶起屋必先創有基址也 禍生有胎胎人胎孕也人之禍生由先造惡亦猶生人由先有胎孕也

嫁禍 移禍於人曰嫁禍（史）秦代韓上黨路絕上黨韓郡也上黨太守拒絕路道秦兵日進 上黨守馮亭與民謀以上黨歸趙馮亭與民謀曰秦進韓不能應不如歸從於趙韓趙為一則可以抵當秦矣 使使音事 告趙句 平陽君豹曰是欲嫁禍於趙也言上黨若降於趙秦必攻趙是欲嫁禍於趙也。○秦果攻趙而有長平之敗○此節可與前第二卷子孫類讀父書之下通看

包藏禍心 （左）昭公元年 鄭子羽。對楚子羽鄭之行人也致對於楚人 曰將恃大國之安靖己楚公子圍將娶鄭女以衆兵入鄭迎歸子產患楚人因此襲破鄭國於是使子羽辭之曰鄭國狹小不足以容從者下國本云得罪於大国故曰鄭之婚楚本欲恃

楚以安請其國而無乃包藏禍心以圖之今楚以兵入迎無乃包藏禍心以圖襲鄭鄭人知鄭疑楚必先備於是垂弓衣而入以示無弓入迎歸而出者也

賈害

賈音古自買禍曰賈害（左）桓公十年虞叔有玉虞姬姓國公爵周大王之子仲雍之後周武王封之于虞周大叔虞公之弟也虞公求之求之是虞公求虞叔之玉虞叔曰匹夫無罪匹夫單獨之人也與匹婦對言。故以匹耦為稱懷璧其罪言匹夫本無罪蓋猶人利其璧以害其身則是懷璧所以為罪也吾焉用此焉何也言安何用此玉其以賈害也行曰商坐曰賈坐肆而待價者也此言賈害蓋謂懷玉坐而待禍害之至如賈之坐而待價乃獻之乃獻玉於虞公○此可與前弟五卷惡性類無厭之下通看

有隙

隙音吃有𨶒隙（漢）曹參與蕭何善曹參蕭何皆秦時刀筆吏相與甚善佐漢高祖而得天下及為相有隙隙間隙也隙是璧孔如人相交之密一有不合則有孔隙之間矣。高祖弟一子刘肥封齊王曹參為相與蕭何乖離不相合也高祖時蕭何為相於朝曹參以其同功一體之人而不得預政於朝與何有隙

有憾

釋憾（左）隱公五年臧僖伯卒僖伯公子彄也僖謚也（釋注）彄音區公曰叔父有憾於寡人弗敢忘葬之加一等叔父諸侯同姓者居父之長曰伯父居父幼曰叔父也有憾有恨也隱公將往棠觀魚者臧僖伯怒諫以為取魚非時也而隱公托巡守為名陳設捕魚之備而觀之僖伯稱疾不從及卒公以有恨於我詐不聽故葬加命服一等之厚○宋人取邾田取邾邊宋之田邾人告于鄭告鄭共伐

宋曰告鄭之辭請君釋憾於宋釋憾解釋怨恨也隱公四年夏宋殤公即位公子馮出奔鄭鄭人欲納之及衛州吁立。將修怨於鄭使告于宋宋人許之於是宋衛伐鄭圍其東門五日而還。秋復伐鄭故鄭人告于鄭曰請吾解釋怨恨於宋敝邑爲道音導○敝邑鄭自謂道何導也○此節可與此卷下報復類報東門門之後通看

筆端 左昭公六年 鄭人鑄刑書鑄刑書於鼎以爲國之常法 叔向曰晉叔向以書遺鄭子產云 民知筆端矣叔向言昔者先王臨事定試以制其刑糾擧以政使民無不正施行以禮使無不敬謹守以信使無不實奉養之以仁心使民物各得其所循恐其未盡治民之道故又以忠直之道示之敎誨擧善惡之行示之賞與敎之以特使急先之務使之以悅以使民之和其臨民也仁而恭敬然後民知尊君親上礼義洋溢禍乱消弥若鑄刑書於鼎今民知爭罪之端載於刑書矣○此與後第十一卷市肆類錐刀之下通看

小有言 易 訟天水訟天西旋水東流相違背而行故卦名曰訟 ䷅ 初六下第二爻也 不永所事六爻屬陰陰柔在下不能永長於訟事 小有言終吉小小有語無大爭則終吉 象曰。不永所事訟不可長也程子曰六以柔弱而訟於下其義固不可長永也永其訟則不勝而禍難及矣又於訟之初即戒訟非可長之事也 雖小有言其辯明也程子曰柔弱居下才不能訟雖不永所事既訟矣必有少決故小有言也。既不永其事又上有剛陽之正應辯理之明故終得其吉也

不平之鳴 韓愈送孟東野序孟東野以詩鳴於世韓愈作此序以贈之 大凡物不得其平則鳴總言物理凡遇不平而鳴乎丗 草木之無聲

不平心思（韓愈送孟東野序）

不平則鳴

小有言（易）

章說（古）

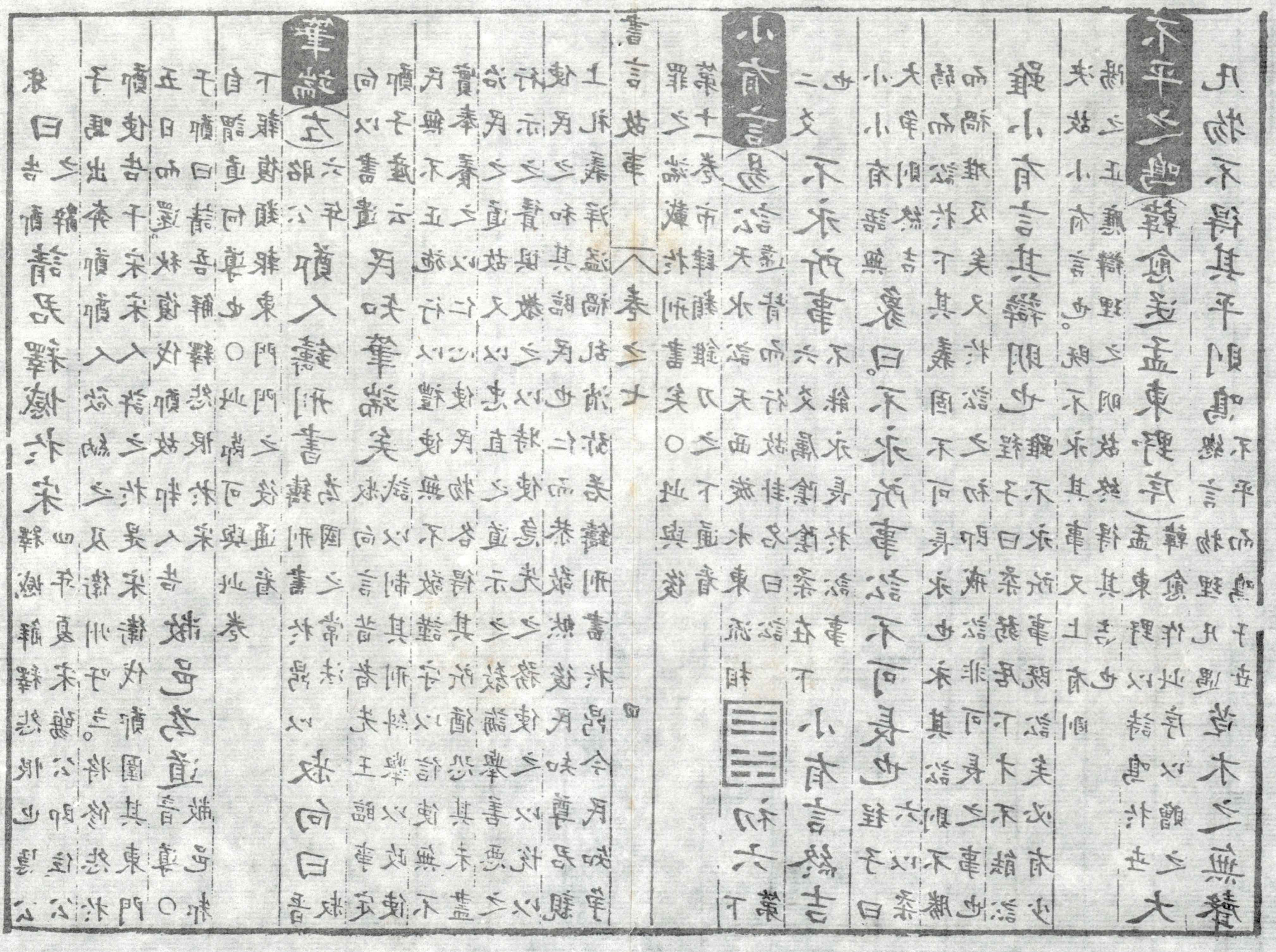

草木有形本無声音風撓之鳴風動而擾亂之乃鳴水之無聲水之安流亦本無声風蕩之鳴風行水上動蕩則鳴人之於言也亦然轉入人声其言亦然有不得已而後言激昂於不得已而言是所謂不平者凡出乎口而為聲者總言大凡出口為声其皆有弗平者乎與起句相照皆不平者、此人之於言凡出乎口二節皆論人声之鳴有類於物

媒蘗其短 蘗音業 漢李陵敗降虜前漢武帝天漢元年漢遣中郎將蘇武使匈奴匈奴欲留武武不降以武居北海上牧羊二年遣李陵領七千人入匈奴取蘇武合戰之際矢如雨下李陵南望拜曰臣力極矣遂降司馬遷言陵有國士之風言其有賢士之風度今舉事一不幸不幸降虜一事也全軀保妻子之臣保全身軀保全妻子者獨善於已而不能捨身以忠君也隨而媒蘗又音欺其短齊人謂麩餅曰媒謂釀成其罪盖言獨善於已者隨其降虜之事而釀成其罪也(注)麩音來小麥也

珥筆 珥音二 教訟曰珥筆（黄魯直江西道院賦）江西士大夫秀而文江西士大夫俊秀而有文其細民險而健細民小人也健自強不息言小人專行險而自強以終訟為能終訟終極其訟期於必勝由是玉石皆焚不辨君子小人名曰珥筆之民珥簪也以筆為簪也諺云筠袁贛吉四府之人頭上佈筆專一教訟推筠懷獨不嚚音銀於訟筠宋避理宗諱歐瑞州筠亦嚚訟而有江西道院之名何也蓋口不道忠信之言故筠守號為江

西道院筠守筠州太守也今使珥華教訟者慱問孝之章先是筠州亦嚚訟自後筠州太守獨不嚚訟故號爲江西道院使教訟者慱問惇孝之章而自無訟矣

不共戴天 記曲禮上篇父之讎弗與共戴天必求以殺之也父者子之天·不能復父之仇仰無以視乎皇天矣執之之意誓不與仇人俱生也兄弟之讎不反兵不反兵常以殺之兵器自隨也交游之讎不同國交游爲朋友也或至有讎不與同國耻與仕而相遇也

敵國 孟子曰盡心上章春秋無義戰春秋每書諸侯征伐之事必加譏貶以著其擅興兵之罪征者上伐下也征所以正人也諸侯有罪則天子討而正之敵國不相征也敵國諸侯之國相並也此春秋所以著其無義戰也○孔子作春秋以道名分使征伐自天子出春秋所以不作也征伐自諸侯出春秋所以作也無義戰王字斷盡諸侯兵爭之罪

通鑑 魏武侯浮西河顧吳起曰美哉山河之固魏國之寶也起曰君若不脩德舟中人皆敵國也吳起謂武侯曰在德不在險昔三苗氏在洞庭右彭蠡禹滅之桀之居左河濟右泰華伊闕在其南羊腸在其北湯放之紂之國左孟門右大行恒山在其北大河濟其南武王殺之此皆不修德之君也今君若不修德雖舟中皆敵國武侯曰善

勍敵 勍音勤強敵曰勍敵（左）僖公二十二年宋公及楚戰宋公襄公也襄公伐鄭故楚伐宋以救鄭楚師未度水子魚請擊之宋公曰不可追人於險必待其列陣而後

戰宋師大敗襄公傷股國人皆歸咎襄公不擊楚半涉襄公曰君子不重傷不擒二毛下文子魚又荅襄公云子魚曰君未知戰子魚宋公子目夷也言宋公未知戰鬬之道勍敵之人勍彊也言楚人乃彊敵隘而不列楚在隘隘而未得成列布陣天贊我也是天贊助我以取勝之機會於其度水之際何愛於班白二毛之人而不擒何愛惜敵人而不忍重傷之○此可與前第二卷耆老類二毛之下通看

城下之盟（左）桓公十二年楚伐絞楚伐絞國以治飭人之黨大敗之楚以役徒采樵於山中誘絞人逐之絞人果爭出逐之而不知有伏兵故為楚所敗為城下之盟而還城下之盟諸侯所深恥以故辱之○辱者恥也此楚為大國不當與小國盟也

樹降旗竪降旛

樹竪者立起也皇甫湜音實手帖云鄆音運堂特高古風鄆東平州名馬總鎮天平作溪鄆于堂州退之賦四言古詩故皇甫湜以手帖與退之曰特高尚公之此古詩也敢樹降旗謂退之溪堂詩也降伏也伏其詩之美若降伏者之樹降旗也

元和聖德頌元和唐憲宗年號降旛夜竪頌聖人之有德而天下治四夷夜竪降旛而不敢犯中國也

賈勇賈音古（左）成公二年齊高固入晉師是歲齊頃公伐魯比鄙之邑魯乞師于晉晉以六萬人救魯於是高固入晉兵而致戰桀石以投人桀擔也擔石以擲打晉人擒之而乘音成其車既獲晉人乃捨己車而乘所獲之車繫桑走焉將至齊軍乃以桑樹繫車而走以狗齊壘走而狗于齊軍營內而云下文之事欲勇者賈余餘勇賈賣也高固言我有餘勇將賈之輕敵如此安得不敗及再與晉師戰於

鞍齊地敗焉

挑戰 挑上声 史記漢與楚軍皆廣武 漢王與項羽於滎陽築兩城而相對名為廣武城 羽顧與王挑戰 二人獨較勝負曰挑戰羽恃其勇故欲挑敵求戰漢王曰吾寧鬭志不鬭力

得雋 音俊 得雋捷曰得雋 左 莊公十一年 師皆陳 陣同 曰戰大崩曰敗績得雋曰克 智過千人曰雋克能也〇考之莊公十一年且無所載不敢強解

〇報復類

雪耻 洗雪羞恥 孟子 梁惠王上 梁惠王曰東敗於齊長子死焉 史記魏世家惠王三十年魏伐韓〻請救于齊〻宣王用孫子計救韓擊魏〻大興師使龐涓為將而令太子申為上將軍與齊人戰敗於馬陵齊軍虜魏太子申殺將軍龐涓遂大破魏 西喪地於秦七百里 史記魏世家惠王十七年魏与秦戰元里秦取我少梁元里少梁皆魏地邑名〇史記商君傳秦孝公使衛鞅將兵伐魏〻使公子卬將兵擊之衛鞅伏甲虜公子卬惠王恐使使割河西之地獻於秦以求和而魏遂去安邑徙都大梁 南辱於楚 寡人恥之 又與楚將昭陽戰敗亡其七邑 願比 皮去声 死者一洒 洗同 之 比猶為也言欲為死者洗雪其恥也

復讎 報讎曰復讎 匈奴傳 漢誅大宛 音淵 威震外國 大宛西域國也漢武帝數征匈奴盡漢兵勢匈奴遠遁故曰威震外國 天子欲遂困胡

天子武帝也欲追逐困隔於胡人乃下詔曰高帝遺去声朕平城之憂高帝漢高祖也遺與也朕武帝自稱也平城今大同府即古云白登是也高帝常為冒頓單于圍於平城七日武帝言高帝遺此恨於後我既為孫嗣位當報此怨○平城之憂與前第四卷雜戲類傀儡子之下通看（釋注冒音昧頓音毒

高后時單于絕悖逆高后高祖之后呂后也絕悖逆猶言未嘗見此悖逆也高后臨朝稱制之時冒頓單于遺高后書曰陛下獨立孤憤獨居兩主不樂無以自娛願以所有易其所無○單于書言兩主呂后為中國之冒官頓為胡地之主皆獨居獨居者呂后喪高祖冒頓妻故曰願以所有易其所無欲得呂后合歡也

昔齊襄公復九世之讎春秋大之公羊傳襄公滅紀侯而復讎也蓋襄公九世祖為紀侯所譖烹殺守周至襄公滅紀侯孔子作春秋而大襄公之功○武帝言我為高祖呂后復讎如襄公為九世祖復讎也

報東門之役復舊讎曰報東門之役**左**隱公曰年衛人從宋公伐鄭宋公宋殤公也圍其東門五日而還宋人圍鄭東門也○已見此卷前讎怨類有憾之下五年鄭人侵宋牧邑隱公五年鄭人伐宋兵入郭門以報東門之役先是宋人圍鄭東門至是鄭人亦圍宋東門以報之

○排難類

被髮往救孟子離婁下章今有同室之人鬬者救之同室之人夫妻也言有夫妻鬬者則當救之雖被髮纓冠而往救之可也纓冠結纓也遇沐不暇束髮冒冠於所被髮上結纓而往救言急也蓋孟子教人因事從權變也

【解紛】解釋紛爭【史】趙平原君欲封魯仲連使者三返終不受（三返三往回也三次封仲連辭之兼不受封）又以千金為仲連壽（千金黃金一千斤之重仲連既不受封又以千金濟養以盡其天年之壽）連笑曰所貴天下之士欲為人排難（去声）解紛而無取也（排難排抑患難言所貴者為天下之賢士為人解釋患難於紛爭之際而不取其財利也）即有取者是商賈（音古）之事也連不忍為（言圖利之人則為商賈我於此即有所取利是圖利之人而不為賢士矣故曰連不忍為）遂辭平原君去

○豪奢類

【銷金帳】【宋】陶學士穀有妾本党（音當上声）大尉進家姬（党姓也大尉官名也姬婦人美者之称也）一日雪（忽一日天落雪之）穀取雪水煎團茶（古今好事者搗煉細茶製作月團故曰團茶至是陶穀取雪水煎之）顧妾曰党家有此景否（句）曰彼粗人安識此景（粗人党氏女自譲為粗鄙之人何能識此雪水煎團茶之景）但能於銷金帳下（讀）淺斟低倡（讀）飲羊羔兒酒耳（斟酌酒也言我党家遇下雪之際但能於銷金帳下如此而已至於煎茶則不識）穀大慚

【肉屏風】【肉障】【肉陣】譽多寵妾【唐】楊國忠家富（國忠唐玄宗時加御史大夫楊貴妃從兄也）凡有客設酒令妓女各執其事號肉臺盤冬月令妓女圍之號肉屏風又選妾肥大

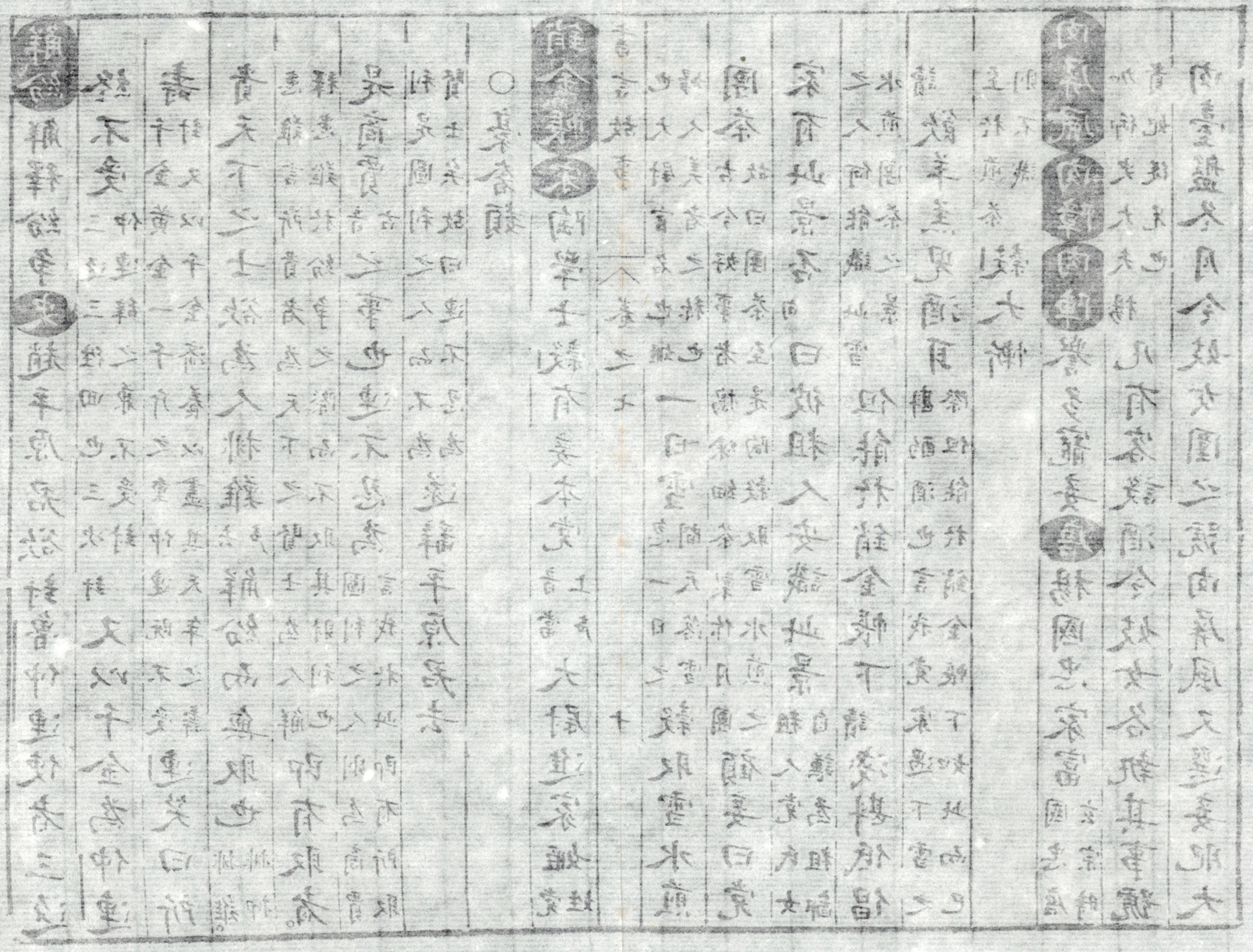

者於前遮風謂之肉障又謂肉陣（障隔也障以隔風也）

肉臺盤［南唐］孫晟（音甚）家富驕每食不設几案使衆妓各執一器環立而侍號肉臺盤

錦步障［晉］石崇與貴戚王愷以奢靡相尚（貴戚者王愷乃西晉惠帝母舅也奢靡者奢侈靡不繁華石王二家專尚華美以相賽）愷作紫絲步障四十里（步障今山水障之類也）崇作錦步障五十里以敵之（里字疑當作丈字世說紀載之過縱有四十里五十里之障當於何地用之）

金蓮步稱婦人行曰金蓮步［齊］東昏侯鑿金為蓮花貼地令潘妃行其上曰此步步生蓮花也（東昏侯南齊廢帝也）

醉輿［開元遺事］（開元大唐明皇年號凡二十九年其間所遺之事集成為書）申王每醉使宮妓將錦綵結一兜子（兜子轎子也）以綵結成軟轎以擡之號曰醉輿

錦棚（音明）夏月叙富貴人起居錦棚清適［開元遺事］長安富人至暑伏中（長安今陝西是也暑伏夏月三伏天也）各於林亭內植畫柱以錦結為涼棚設坐具召客名姝（音樞）間坐遞請為避暑會（姝美好女子也）

移春檻［唐］楊國忠子弟春時移名花植木檻中（名花有名

之好花也植栽種也下設輪脚挽以綵綆音耿○檻下置設輪脚使之能轉可移却以綵綆栽之所至檻在目前號移春檻所至但賞春所至之處也移其檻。輒在目前故號曰移春檻也

錦半臂 鄭愚以錦為半臂半臂合合袖是也袖短至手臂半中故號半臂後以所業投崔鉉玄上声○所業所作詩文也將以投見於崔鉉鉉曰真銷得錦半臂釋文云所業謂所作詩文而鉉曰真銷得錦半臂意頗不合莫知所云（北夢瑣言）宋子京多內寵會宴曲江偶徼寒命取半臂諸婢各送一枚凡十餘枚子京恐有厚薄之嫌竟不敢服竟終也忍冷而歸

錦纏頭 賜歌舞者利物曰錦纏頭（杜詩）樽前應有錦纏頭（唐）王元寶富而無學嘗會賓朋日人問必多佳論元宝曰但費錦纏頭盡元宝不學不知佳論但知費賞賜与歌舞者

暖寒 冬月飲人酒謂暖寒飲人酒謂以酒與他人飲也（開元遺事）王元寶每大雪令僕自門巷掃雪為徑路以迎賓掃集雪堆為逕路以迎客使客行路於其上具會為暖寒具會備具酒饌以為暖寒

獸炭（晉）王琇音秀性豪侈其性豪侈奢侈費用無復齊限齊限界限也凡事長物費用之多無限量也以屑先入声炭作獸形以炭推爛為抹用膠水和之如泥塑成獸形象洛下豪貴競效之競爭也豪貴之家家爭效其作也

○富豪類

紫標黃榜 稱蓄積多者紫標黃榜（錢愚）梁武帝弟蕭宏性愛錢（蕭宏封臨川王）百萬一聚黃榜標之（標號記也）千萬一庫掛一紫標如此十餘間武帝見之計錢三億餘萬（十萬為億二億通該三十萬且與上文百萬千萬不合愚意三億之下當有百字然後相合否則零數多於總也）他物滿庫不知多少蕭綜作錢愚論（去声）譏之（蕭綜武帝少子也錢愚者譏其愛錢何期之愚也事文類聚云是蕭綾未知孰是）

貫朽粟陳（音陣下同）稱富家貫朽粟陳（漢）武帝初（武帝即位之初年）京師之錢累（音呂）鉅萬（累兼數非止一也鉅大也猶言大萬大萬者萬萬也）

貫朽（休上声）而不可校（音教○貫穿也朽爛也校考校也言貫索爛而不可考其數也）大倉之粟陳陳相因（粟陳粟久而陳腐也）充溢露積（音恣）於外紅腐而不可食（積聚也）

陸橐（音托）慶人分財陸橐均分（漢）陸賈口辯（口辯謂便於言辭）高帝遣賈立南海尉佗（音駝）為南越王（南海縣屬廣川佗趙佗也本為龍川令行南海尉事故曰尉佗會自僭稱王判而不服至是賜其印綬封之為王佗遂稱臣奉漢約束賈歸報拜太中大夫）佗送賈橐中裝直千金（橐中裝七累也言其寶貨輕而價重可入囊橐中以齎行）後歸家好畤（音止）縣（好畤邑名屬扶風）五男分越橐各二百金令（平声）為生（令使也生者營運生涯之事也）

賈安車駟馬（安車駟馬詳見前第一卷耆老類安車蒲輪之下）歌舞琴瑟侍者十人（句）與其子約（讀）過汝（約議也過汝猶當汝也諸子輪當供給）汝給人馬酒食十日更（音庚○更替換也）

地癖（音疋）置田產多者有地癖（癖者人性偏有所好而不能改如病不痊）膏腴（唐）李憕（音登）善殖產（殖長也善置田產日進長之多也）伊州有膏腴自都至關口（膏腴稱田之極好而肥饒也）田疇彌望（彌望言望之滿目也）人謂地癖（人言李憕性偏愛田地故號曰地癖）

守錢虜識蓄財不散施者（施捨也）（漢）馬援有牛馬羊數千頭穀數萬斛（馬援漢光武功臣為伏波將軍十斗為一斛）歎曰凡殖

貨財貴能施賑（音震○賑贍也贍者假助也所謂周給貧乏者）否則守錢虜耳（言其不能散財施賑是一守錢之夫虜也）乃盡散其所有以頒昆弟故舊（頒賜也）

○貧之類

縣（同懸）**磬**（音慶）言貧之室如縣磬（左）（僖公二十八年）齊侯伐魯（齊侯齊孝公也）問展喜曰魯人恐乎（齊侯伐魯魯僖公使展喜犒師於是齊侯問展喜曰魯人畏我來否）對曰（展喜對）小人恐矣（在下之小人則知畏矣）君子則否（在上之君子則不畏也）齊侯曰室如縣磬（此如字當讀作而字磬盡也言屋室而貨粮縣盡矣）野無青草（在野又無蔬食之物也）何恃而不恐

言魯之所恃何在而不恐與我爭展喜對曰魯祈恃者周成王之命故不恐耳昔周公魯之祖太公齊之祖二公相周為周室之股肱也二公居成王左右夾持而輔相之成王嘉二公之功而慰勞之與二公為盟誓言齊魯子孫世世不得相害云云齊侯乃還師○此與前第三卷防臨類（親本玉祉）下通看

無立錐

無產業曰無立錐之地（食貨志）秦孝公壞音怪井田井田商周之制不同周以九百畝地畫為九區區百畝中為公田其外八家各授一區八家共耕公田以還國家至是秦孝公廢此法開阡陌開破除之意阡陌田閒道也南北曰阡東西曰陌既壞井田故開阡陌以為田又開者破壞剗削之意民得買賣富者田連阡陌井田之法既廢富者買田貧者賣田正與今世一同貧者無立錐之地雖極小貧者欲立之且无地若今之貧者住他人屋耕他人田正是無地立錐之人也潙音歸山弟子香岩頌曰去年貧未是貧今年貧始是貧去年貧無卓錐之地卓立也錐无地尤有錐今以故去年非是貧也今年貧錐也無卓今年以來連錐亦無以故真是貧也

綿力

言力薄曰綿力（漢嚴助傳）去聲淮南王安書曰且越人綿力薄材不能陸戰綿力言其如綿之軟无力薄材言其材德不孚陸平地也力既不加材德又不孚豈能平地而合戰

家徒壁立

（漢）司馬相如字長卿音相如前漢武帝時人也臨邛臨邛縣名富人家富之人也音窮富人卓王孫女文君新寡新寡新喪夫

而寡居也相如以琴心挑上声之桃。弄也。相如素與臨邛令王吉相善。卓王孫聞令有貴客。設具召之。并召令酒酣。臨邛令前奉琴曰。竊聞長卿好之。願以自娛。於是相如遂作歌彈之。以挑文君。其歌曰鳳兮鳳兮歸故鄉。遨遊四海求其凰。時未通遇无所將何悟。今日升斯堂。有艷淑女在此方。適迩從遐愁我腸。何緣交頸為鴛鴦再歌曰。鳳兮鳳兮從我棲。得托字尾求為妃。交情通體心相洽。中夜相從知者誰。双羽俱起翔高飛。毋感我心使余悲文君夜亡奔相如之奔。逃也。文君听相如琴中之歌。遂感而從之與馳歸成都馳。驅馳也。成都今四川是也。文君既從相如。即與之馳。娛而歸成都家徒四壁立徒。空也。相如家貧但有四壁無資財更文君不樂音洛曰長卿長卿。文君不樂呼長卿而言。下文之事可如臨邛從昆弟假貸讀尤足為生如。往也。假貸賒借財

物也。為生借財物為生理也。文君言可復往臨邛從我昆弟借貸足以為生計。相如與之臨邛之。往也。相如遂與文君復往歸臨邛盡賣車騎去声買酒舍買酒舍賣酒沽為令平声文君當壚音盧〇壚顏師古曰賣酒處也。相如令文君當垆而賣酒也。後相如特以詞賦得幸於武帝為中郎將欲買茂陵女為妾。文君作白頭吟三疊以自絕於此。但舉其一云。凄凄重凄凄。嫁女不須啼。願得一心人。白頭不相離。相如感之乃止〇出西京雜記

赤貧 常言人貧曰赤窮赤貧空盡無物曰赤句如赤地千里赤紅也地赤則無草木也如族赤盡殺無遺類也

貧到骨 一寒如此許貧曰貧到骨〈杜詩〉呈吳郎已訴徵求貧到骨更思戎馬淚沾巾〇須賈見范雎弊衣

鷩曰范雎一寒如此哉（此一節詳見前第二卷綈袍恋恋之下）

炊扊扅（音偐 音移）百里奚事秦（百里奚事秦繆公為相）其妻歌曰（其妻所賃澣洗婦自言知音撫琴絃而歌云）百里奚五羊皮（繆公夫人晉國女也。百里奚從嫁之臣。已而事繆公。后亡秦走南陽楚人執之。繆公聞其賢以五羖羊皮贖得之。號曰五羖大夫）憶別時烹伏雌（別時百里奚走南陽与妻相別之時也。伏雌雞母也。當是時家貧无所有其妻不得已烹雞母与百里奚相別也）炊扊扅（扊扅閑門之横木也以之為薪）今日富貴忘我為（言今日之富貴而忘我昔日烹伏雌炊扊扅之所為）

襤褸（音藍 音呂）言衣敝曰襤褸（左）（宣公十二年）楚若敖蚡（音粉）冒篳（音畢）路襤褸以啓山林（此言楚君訓民。以先君勤儉啓土之事若敖蚡冒皆楚先也。篳路以柴為車也。藍縷衣破而縷襤襤縷也。啓山林鑿山以通往來也。○此蓋欒武子言楚君既滅庸无一日不治国人而教訓之曰民生之不易禍至之无日。不可以滅庸為得志而自驕勝之不可保紂之百勝武王滅之民生在勤勤則不乏。不可自驕恐負先君藍縷勤儉啓土今也若不加勤亦如紂之亡國焉）

鶉衣（音淳）言衣敝鶉衣百結（荀子）子夏之衣懸結如鶉（如鶉衣敝懸結貌）（逸士傳）（去聲）（晉）董京在洛陽隱居白社（作白社以為隱居逍遙吟詠宿於其中）以殘絮縷帛為衣號百結衣

鵠形言飢餓者如鵠形（通鑑）（梁）簡文時。江南百姓食之死者蔽野。富室無食皆鳥形鵠面。懷金玉伏床

待死

冰色 言人飢色曰冰色〔記〕王制篇 三年耕。三年地利人力所出 必有一年之食 三年有一年之蓄也 九年耕。九年地利人力所耕 必有三年之食 九年有三年之蓄也 以三十年之通 通計三十年耕有十年之蓄也 雖有凶荒水溢 蓄積多則可以禦水旱之災也 民無菜色 雖水旱而民無食菜之色也 然後天子食 民食足則君食安也 日舉以樂 音洛。殺牲盛饌曰舉。舉有十二物皆有俎。以樂安食以樂天下也

在陳 無米曰有在陳之厄〔語〕衛靈公篇 孔子在陳絕糧 此蓋衛靈公問軍旅之事於孔子孔子對曰俎豆之事嘗聞之矣。軍旅之事未知學也明日遂行於是在陳絕糧 從 去声 者病莫能興 孔子去衛適陳從者之來莫能興。興起也 子路慍 云去声 見 音現 曰。君子亦有窮乎 慍。含怒意。子路之意謂小人狗人欲當然至於窮困我等君子狗天理者何期亦有絕粮之厄乎〔孟子〕盡心下章 君子之厄於陳蔡之間 君子孔子也。厄者上文絕粮之事也此蓋楚昭王使人聘孔子陳蔡大夫謀曰孔子用於楚。則陳蔡危矣相與發徒圍之於野故曰君子厄於陳蔡之間 無上下之交也 君臣皆惡无所與交也○程復心曰陳蔡之危聖人之極否故孟子特原其事。以為蓋緣君臣俱惡無所交之故是亦氣數之窮。在聖人則何與焉

窮途哭 貧乏曰窮途之哭〔晉〕阮籍時率易 音意 獨駕 率易者輕率簡易也 不由徑路 謂不循道路而行 車跡所窮輒痛哭而

返滕王閣序王勃作阮籍猖狂阮籍率易獨駕不由徑路是猖狂也豈效窮途之哭車跡所窮輒痛哭而返勃之意謂吾豈效此也

哀王孫

貧者歎無哀王孫漢韓信家貧至城下釣韓信淮陰人就釣淮陰城下漂飄去声母飯信漂水中打絮也。漂母見信飢與之飯信曰。吾必厚報母。母怒曰。大丈夫不能自食。言汝徒為大丈夫不能自給其食吾哀王孫而進食言我哀怜汝乃韓王之孫故進食豈望報乎漂母以信貧而不望報后信為楚王果遣使奉千金以報母

狼狽

音背言顛倒失措者曰狼狽狼狽是兩物狽前兩足絕短群玉又載狽狼屬无前足未知孰是每行常駕兩狼失狼則

不能動漢紀論周勃狼狽失據塊然囚執

薦福碑

墨客揮犀范文正公守饒今饒州府是也有書生上謁自言平生未嘗飽嘗音曾天下寒餓無如某者某書生自称也時盛稱歐陽率更音庚字薦福寺碑墨本直千金率更名詢為太子率更令掌知更漏故曰率更蓋歐陽詢所寫之字刻碑於薦福寺有能打其墨本者價直千金文正欲為去声打千本使售音受于京師售賣也。京師。帝都之所也。文正欲為打碑千本使賣於京師得錢以濟其貧也紙墨已具二夕雷擊其碑雷擊其碑緣此書生到底當受貧也時人語曰有客打碑来薦福無人騎鶴上音賞揚州昔有客相從各言所欲或願為楊州

剌史或願多資財或願騎鶴上天其一人曰腰纏十萬貫騎鶴上楊州蓋欲兼全三人之所欲也○當時之人見雷擊碑故發此感歎之語言但有貧而无富也 東坡作窮措大詩曰一夕雷轟薦福碑

落魄 音托基 落魄不撿 釋云 貧無家業 酈食其傳 酈食其音力異 家貧落魄 師古曰 失業無次

○儉薄類

盋盂 盋音鉢○已見前第三卷苦李類

苜蓿盤 唐 薛令去声之為東宮侍讀時句官僚簡淡以詩自悼云悼傷也○令之以其官令遂自作詩傷悼云 朝音昭日上音賞團團照見先生盤盤中何所有首蓿長音掌闌干首蓿豌豆也 飯澁音色匙難進羹稀筯易音意寬只可謀朝夕何由保歲寒

蒸葫蘆 唐 盧懷慎為相去声清儉嘗召客食曰爛蒸去毛莫拗烏校反折項客疑是䳼鴨已而下粟米飯一器及蒸葫蘆一枚音梅

十八種 中声上 高陽王雍為相去声日一食萬錢每日一食則直萬錢 李崇曰高陽一飯敵我千日崇為尚書令食止韭音九茹韭薤子魚反○茹熟菜菹淹菜人云李公一食十八種

言二九十八也出洛陽伽藍記

羊踏破菜園 啓顔錄此卷唐侯白著有人常食蔬茹忽食羊肉夢五臟神曰羊踏破菜園此事雖淺近相傳可以為笑

藜莧腸 莧音限韓愈詩腸肚習藜莧言常食藜莧於腸肚之間

○謁見類

登龍門 漢李膺以聲名自高後漢桓帝時宦官擅權李膺獨持風致宦官畏之皆鞠躬屏氣不敢出於是膺以声名自高尚士有被其容接者名為登龍門龍門詳見後第八卷科第類。言士被膺容接則為名士猶魚得度龍門則化為龍也○此与前第二卷親戚類通家之下通看晉王衍人號一世龍門王衍西晉懷帝

時為太尉人所誰於接見亦若李膺

掃門 求見人曰欲效掃門魏勃欲見齊相去声下同曹叅貧無以通古者求見必執贄以為礼魏勃欲求見叅貧无所執乃嘗早起掃齊相舍人門舍人親近左右之通称也後遂以為官號舍人恠而問之句曰勃答願見相君無因讀故為去声子掃无因无由也於是舍人引見叅以為舍人

摳衣 叙見人云摳衣進謁記曲礼上篇毋音无踖音即席不以足踖他人之席者謂踖之於旁摳衣趨隅摳提也隅席角也摳衣欲其登席之便趨隅不敢登席之正也必慎唯諾唯諾皆應荅之声慎者謹重而不妄也

漫刺 音瞞次 自見名紙曰漫刺。滿禰音你衡有才尚氣，陰懷一刺而無所通古者寫己之名与人通問衡於是寫其名而无所通至於刺字漫滅漫滅竹簡上所寫己之名字也衡有才尚氣非有才者不与之通問故己名字漫滅也。古未有紙，削竹木書姓名，故曰刺。後以紙，遂曰名紙自見名紙謂自以己名書于紙上也。

典謁 叙曾見人曰比干典謁。記曲礼下篇問士之子問士之子年齒長音掌曰能典謁矣典主長也謁請也典謁主典請謁也盖事人之事能則知其長也幼曰未能典謁也未能則知其幼也。

閽人 叙欲見人曰欲叩閽人。周禮天官下閽人王宮每門四人掌守王宮之中門之禁中門於外內為中若今宮闕門鄭玄曰王有五門外曰皐門二曰維門三曰庫門四曰應門五曰路門路門一曰畢門玄謂維門三門也○凡人欲見人皆閽人以為言也。

矙亡 矙音勘 見人值出曰矙亡負罪。孟子滕文公下章陽貨矙孔子之亡也而饋孔子蒸豚陽貨魯大夫也矙窺也孔子為士故以此物及其不在而饋之欲其來拜而見之也孔子亦矙其亡也而往拜之矙亡謂窺伺其人不在家之時也礼記云大夫有賜物与士士偶出外不在家對使者拜受之則當往大夫家而拜於其門陽貨欲見孔子恐孔子以己為无礼故窺伺孔子不在家而饋送蒸豚之豚使孔子當來拜我乃大夫之門孔子知此意亦窺伺陽貨不在家乃往拜其門○餘詳見論語

十七篇
首章

舟崖青壁之銘 嘗見人值出宜用(晉)宋纖有遠操遠操
高遠之節操馬岌音逆造馬造訪也纖拒而不見岌嘆曰名
可聞而身不可見德可仰而形不可覩知先生人
中之龍也銘詩石壁曰舟崖百丈青壁萬尋六尺曰尋
言宋纖之德若百丈萬尋之高奇木蓊蓊上声鬱蔚音後若鄧林鄧林(釋)文
云出(山海經)詩夸大成)云出(列子)夸父不量力欲追日影逐之於暘谷之際降走北飲大澤未至道
渴而死弃其杖化為鄧林又讚宋纖若奇木之盛其人如玉維國之琛丑林
切○琛寶也言宋纖如玉乃維國家之寶也室邇人遠實勞我心邇近也

造請 近嘗造請(漢)(趙)禹傳公卿相去声造請禹造請造訪請見
謁也終不行報謝凡人造訪於我ゝ必報謝公卿造請於禹ゝ終不能報謝

造謁 比皮去声嘗造謁(梁)何思澄終日造謁進造謁見於人以求
益每出作名紙一束投人句遇晚必盡也

操篲 音遂比嘗操篲求見(莊子)達生篇田開之曰操拔篲
以待門庭篲掃也言供弟子洒掃之賤以求見於先生長者○此蓋田開之見周威公威
公曰吾聞祝賢斈养生之術汝與祝賢遊亦何聞焉開之曰開之操拔篲以待門庭亦有聞於夫子
夫子祝賢也威公曰田子无秘寡人亘聞之開之曰聞之夫子曰善養者若牧羊然視其後者而鞭之
之威公曰何謂也開之曰魯有單豹者岩居而水飲不與民共利行年七十而有嬰兒之色不幸

遇饑虎殺而食之有張毅者高門懸薄无不走也行年四十而內熱之病以死豹養其內而虎食其外毅養其外而病攻其內此二子者皆不鞭其後者也○因此操篲又得養生之柎所謂凡人必欲慮其後

一瓣香 瓣音朋 近嘗修一瓣香之敬（宋）陳思道字無已號后山詩曰向來一瓣香敬為去聲曾南豐 曾鞏字子固盱江人李者称為南豐先生○諸禪門堂至第二瓣香推本其得法所自則云一炷香敬為其人云云后山師南豐故云

稱贄 音志 愧不能稱贄進謁（儀禮）士相見讀聞吾子稱贄敢辭 称奉也古人相見必有所執以為贄士執雉是也言既執贄来見何敢辭焉

齎刺 上子兮反下音次 嘗齎刺進見（漢）仇覽傳郭林宗齎刺謁之 齎持也齎持名刺也古者削竹木為簡策以書已名謂之刺後世造紙以易之謂之名紙蓋林宗嘗持自已之名字以謁見於人

脩剡 音掩 嘗脩剡謁見（申屠蟠傳）作門狀曰脩剡

○不遇類

世無知音 無見知者曰世無知音伯牙鼓琴志在泰山鍾子期曰善哉巍巍乎志在泰山俄而志在流水 子期言伯牙之志巍巍乎若泰山之高蓋孔子所謂仁者樂山安靜而壽子期又言伯牙俄而志在流水之間蓋孔子所謂知者樂水水流動不滞蓋子期極讚伯牙仁知兼備也 子期曰

善哉洋洋乎志在流水洋洋流動充滿之貌伯牙鼓琴子期善聽而知其音

子期死伯牙以為世無知音終身不復鼓琴破其琴而

絕其絃○出說苑○可與前第三卷會遇類知音之下通看

三獻刖足刖音月

卞和得玉璞音排而獻之武王璞玉在石中者

武王楚武灵王也王以示玉人曰石也琢玉之人言非玉乃无用之石也

遂刖其足断其足也後獻而復遭刖至文王時文王灵王子也

卞和抱玉璞哭於郊王命玉人琢之得美玉焉餘詳

見此卷後餽送類全璧之下

○干求類

聚粮以遠衍千人曰聚粮(莊子)逍遙遊篇適百里者宿舂

粮適往也言往百里者乃二日之程必先於宿夜舂粮庶往於途而不致飢也適千里

者三月聚粮欲往千里之遠者必於三月之先聚積粮食莊子譬喻人若先无所厚積

則不能為大用且夫水之積也不厚則負大舟也无力風之積也不厚則負大翼也无力大翼者鵬

鳥之翼若垂天之雲傳風而上者九萬里

呼庚癸干粮用呼庚癸(左)襄公十二年(吳)申叔儀乞粮於

魯公孫有山氏申叔儀吳大夫也公孫有山氏魯大夫也舊書相識故就乞粮○是

歲越伐吳吳太子死於是申叔乞粮曰申叔言下文之辭曰佩玉繠音蕊兮繠然能飾

備貌言佩玉者繠然也余無所繫之我獨无服飾可以為佩也旨酒一盛

音成号旨甘也一盛以器盛酒滿一器也余與褐之父睨音義之褐毛布賤者之服也睨斜視也言我但與寒賤之人斜視此酒不得飲也對曰有山氏荅梁則無矣若求精米之飯則无矣粗則有矣水米之粗者則尚有矣若登首山以呼軍中不得出粮故教申叔仪為秘隱之語以登首山而呼曰庚癸乎庚西方主穀癸北方主水故教使呼曰庚癸則諾言我若登首山呼庚癸乎汝則諾而應也此言吳子不与衆同飢渴所以取亡

指囷音群千粮云望指囷（吳）周瑜求粮於魯肅肅有兩囷米囷圓倉也指一囷與之

麥舟以喪事千人望賕麥舟之念（宋）范文正公仲淹仲淹時守潯陽謚文正公遣子堯夫到姑蘇般麥五百斛洪入声○十斗為一斛即還舟次丹陽見石曼音萬卿曼卿曰三喪在淺土淺土殯而未葬欲塟而北歸無可與謀者堯夫以麥舟付之付与也單騎去声到家文正公曰東吾吾疑當作吳見故舊乎東吳或曰即姑蘇曰曼卿為去声三喪未舉留滯丹陽文正曰何不以麥舟與之堯夫曰付之矣嗚呼是父是子同有此心

赤洪厓荅人借貸無應者用赤洪厓（宋）丁晉公為饒倅崔去声○倅副也通判為棣史之副故称体車同年白稹音真為判官同年

者同年科峯為進士也稹一日以片紙假緡音民五環緡錢貫也宋以千錢為貫五環則五千也公笑曰榜下新婚京國富室豈無半千質物耶懼我撓之耳言白稹為富室豈无半千之錢而假借于我之死者使我恐惧而撓乱耳簡尾書曰書寫于白稹借錢之簡尾云欺天行音幸當去声吾何有（方言）猶云心行或曰惴弄也立地機關子大乖立地机関犹言旋時意智五百青蚨兩家闘（說文）青蚨水蟲可还錢（搜神記）青蚨蟲如蟬殺其母子各塗八十一錢凡買物或先用子所塗之錢或先用母所塗之錢皆飛帰循環不已一名子母錢言五百如是之錢兩家皆闘少赤洪厓打白洪厓洪厓錢監名。在西川唐韓曰工言今商州洛原監久廢无錢矣打犹言与也赤白空盡无故曰赤白亦无也。盖言空錢監与空錢監也

涸轍鮒魚涸抗入声

以貧干人用涸轍鮒魚涸水竭盡也（莊子）外物篇莊周貸粟於監河侯（釋文）云魏文侯未知孰是莊子名周家貧故往借貸粟于河侯河侯曰諾我得封邑百姓相賦之金三百金借貸与子可乎。莊周忿然作色言下文之語為譬喻曰。周昨來有道中而呼者顧車轍中有鮒魚焉轍。車行跡也。鮒魚。今鯽魚是也周問之曰鮒魚來。子何為者耶鮒魚對以下文之故曰我東海之波臣也君豈以斗升之水而活我哉鮒魚言我居涸轍之中而將死也周曰。激西江之水以迎子可乎莊周諾。鮒魚曰我將南遊吳越之王激西江之水以迎子可乎鮒魚忿然作色曰君失我常使我不得水

而失所。吾即得斗升之水活然耳君乃言激西江遲矣哉。曾不早索我于枯魚之肆。○莊周設論取西江之水以比河侯取百姓之金

○餽送類

獻芹 送物曰聊效野人獻芹之意（列子）宋有田夫。衣去声緼於粉切○衣。穿着也。緼枲着也。枲着者。惟用枲麻也田夫貧而惟有緼也各曝音坡於日曝晒也顧謂妻曰負日之暄。人莫知者暄。温也以獻吾君當有厚賞也言以緼獻之于君必當有厚賞賜也里之富室謂曰。鄉里富家之人謂田夫而言曰昔人有美荎芹萍子者荎芹繇芹菜爲羹也。本文昔人有美戎葵甘枲芹荎萍子對鄉豪稱之鄉豪取嘗讀

螫音析於口螫行毒也慘於腹哂而怨哂微笑也雖笑其稱荎芹萍子而且怨其毒于口。慘于腹慘者令腹中不安也子此類也子富人指田夫也言其以緼獻君亦如昔人荎芹萍于之類也（呂氏春秋）野人美芹願獻之至尊至尊天子也。言野人惟有芹以為美欲將以獻之天子其可乎

拜嘉 受人惠曰敢不拜嘉（左）襄公四年魯穆叔如晉穆叔即叔孫豹如。往也往晉国報智武子之聘也聘者大事小也襄公即位之元年。晉智武子来聘于魯于是襄公使穆叔如晉報謝武子之聘也晉侯享之晉侯為設享燕之礼擊鍾三奏肆夏之樂穆叔不拜賜樂人又歌文王［大明］［緜］二篇穆叔又不拜賜歌鹿鳴之三又歌小雅之首［鹿鳴］［四牡］［皇皇者華］三篇每歌一詩則穆叔一拜謝對曰穆叔荅盖為韓宣子使子負問于穆

叔曰子以魯君之命辱臨聘問敝邑燕享之禮藉薦之以樂章今吾子乃捨肆夏文王之大者不拜而三起拜謝鹿鳴三篇之細何也。於是穆叔對曰肆夏之樂乃天子所以享牧伯元侯之禮。史臣不敢與聞文王大明緜兩君相見之樂也。臣不敢及。○下文鹿鳴之詩穆叔始敢當之**鹿鳴**鹿鳴之詩云。呦呦鹿鳴。食野之苹。我有嘉賓鼓瑟鼓琴我有旨酒以燕樂嘉賓之心**君所以嘉寡君也**晉以穆叔為嘉賓故歌鹿鳴之詩。取其我有嘉賓叔孫奉君命而來。嘉穆叔乃所以嘉魯君**敢不拜嘉**敢不拜謝晉君嘉己之意。此所以一拜

及璧

不受人餽曰謹反璧（左）僖公二十三年**晉公子重耳**平声**及曹**詳見此卷後托庇類楚波之下**僖負羈餽盤飧**音孫○飧水和飯也重耳既至曹僖負羈之妻曰吾觀晉公子之從者皆足以為相重耳必反其國為諸侯羈子合蚤奉之於是負羈乃以盤飧盛食而餽重耳**寘**音至**璧焉**寘安置也臣无外交故置玉於飧中不令人見**公子受飧反璧**重耳但受其食而以玉還之

及錦

不受人餽曰謹反錦於來使音事（左）昭公十三年**衛人饋叔向羹與一篋錦**七月晉合諸侯于平丘蓋晉自平公築虒祁之宮諸侯朝而歸者皆有二心故為平丘之會叔向弟叔鮒求貨於衛衛人使大夫屠伯以羹与錦而饋叔向曰諸侯服事晉國未有敢二之心況衛之為國近在晉君屋宇之下。而志向何敢有他敢請晉禁止之**叔向受羹反錦**受羹亦不逆其志反錦。亦不利其貨

全璧

完物還人曰全璧歸納（史）**趙有和氏璧**韓非子曰楚人卞和得玉璞於荊山奉獻厲王王使玉人相之曰石也。王以為和詐刖其左足武王即位和又獻之

完物還人曰全璧歸趙有 [illegible]

[illegible] 向人 [illegible] 一 [illegible]

不究文義曰 [illegible] 人 [illegible]

公子 [illegible]

以 [illegible] 不究 [illegible] 人 [illegible] 曰 [illegible]

[illegible] 書 [illegible]

[illegible]

王使玉人相之。又曰石也。刖其右足。文王即位和抱璞哭於荆山三日夜泣盡繼之以血。王使人問曰天下刖者多子奚哭之悲和曰吾。悲非刖也夫以寶玉而題曰石貞士而名之曰詐吾是以悲王使人理其璞果得玉焉遂命名曰和氏璧。〇可與此卷前不遇類三獻刖足之下通看

秦昭王願以十五城易音益〇易換也。昭王請願以十五城換其璧藺音各相如奉璧入秦文王欲不与璧畏秦強欲與恐秦欺而不與城。相如言我願奉璧往有不與曲在我之語秦王無意償音常城賞还也。秦王果无意还城相如乃詐詒指示璧瑕瑕玉病也相如見秦王不还城，乃詐言璧有病。取而指示之持璧怒髮指冠卻立柱下曰臣頭與璧俱碎使人持璧歸趙相如遣從者懷璧間行而歸身待命於秦。秦昭王賢而歸之〇此可與前弟五卷身体說類怒髮衝冠之下通看

報瓊 受惠無報謝曰愧之報瓊詩木瓜篇投我以木瓜叶音孤〇木瓜茂木也實如小瓜酢可食報之以瓊琚音居〇瓊玉之美者琚佩玉名匪報也。永以為好音号也言人有贈我以微物我當報之以重寶而猶未足以為報也。但欲其長以為好而不忘耳〇下文放此投我以木桃贈之以瓊瑤瑤美玉也投我以木李贈之以瓊玖叶音紀〇玖亦玉名也

投瓜得瓊 送人物薄得厚報云投瓜得瓊詳見前節

〇托庇類

河潤 托庇言仰資河潤（莊子）列御寇篇河潤九里人能以恩遠及於人。如河水能潤而旁九里之地澤及三族澤恩澤也。三族父族母族妻族〇出蓋肯

有鄭綏誦味喪氏之地三年而綏為儒河潤九里澤及三族

【波潤】遠沾曰波潤（文粹）鄰斗極之光輝言與斗極為鄰則有光輝極者北極天之樞紐中間些子不動処人要取此為極不可无个記認所以就其旁取一小星謂之極星邇天漢之波潤迩近也近於天河則沾其潤澤

【楚波】遠脉曰楚波餘波所及（左）僖公二十三年晉公子重平声耳對楚子重耳晉獻公次子也。楚子成王也。獻公嬖於驪姬殺太子申。生又欲殺群公子重耳遂奔狄適齊過衛又適齊及曹及宋及鄭及楚楚子享宴重耳謂曰。公子若反晉國何以報我。重耳對以下文之語曰子女玉帛子女。謂妃妾也玉圭璧也。帛幣也則君有之則楚君自有之羽毛齒革鳥之羽毛獸之齒革可以飾器用者則君地生焉則楚國之地所產也其波及晉國者其餘波霑及於晉國者君之餘也皆楚君享用之餘始及晉也晉國无可以報楚君者○可與此卷前餽送類及璧之下通看

【卿雲】卿音慶仰籍卿雲之覆浮去○覆盖也（史）若烟非烟若雲非雲郁郁紛紛郁郁紛紛讚卿雲之美也蕭索音朔輪囷音群○輪囷盤回貌是謂卿雲卿与慶同亦曰景雲王者德至山林則卿雲出

【矞雲】矞音役矞雲上燾桃去声○燾覆照也矞雲即慶雲瑞雲也。其狀内赤外黄

【英雲】寥依英雲（詩）白華篇英英白雲英英輕明之貌。白雲水露輕清之氣皆夜而上騰者也露彼菅茅音閒叶音謀○露即白雲散而下降者也○言雲之澤物

無微不被〇依於人者望人若白雲之露菅茅也

萬間之庇 仰托萬間之庇（杜）安得廣厦千萬間[厦今之門屋也]大庇天下寒士俱歡顔[杜甫作此歌借秋風破茅屋爲題蓋爲安祿山作乱中外震動豈非秋高風怒號乎。捲茅三重安得廣厦千萬間大庇蓋天下貧寒之士。俱得歡顔而不失所亂而思治臣子愛君之素心也安得天下庇覆生靈無使震風陵雨之虞故曰寒士俱歡顔]

帡幪 遠庇帡幪（楊子）震風陵雨然後厦屋之爲帡幪也[在旁曰帡在上曰幪]

鄰燭 分輝鄰燭借映餘光（史）古有貧女富女會績[音即]富女有燭貧女曰幸分我餘光

恩光 託庇恩門曰仰借恩光（山谷詩）[贈東坡云]桃李終不言[李廣傳曰桃李不言下自成蹊蹊逕路也桃李雖不言果熟之際人自至其下遂成逕]朝[音招]露借恩光[逢春之時蒙被雨露之恩莫不光彩借喻獨為人主所知]

殘膏賸馥 實頼殘膏賸馥之沾（杜甫）殘膏賸馥[賸餘]沾丐後人多矣

〇請託類

昂言 託人言事曰借昂言（趙）平原君曰。毛先生遂二至楚使趙重於九昂大呂[禹鑄九昂以象九州太呂十二月陰律也秦薰

鍾必歌大呂○見前二卷謙稱類碌碌下

金諾 謂人相許曰金諾 季諾 漢 曹丘生揖季布曰楚諺曰諺俗語也得黃金百斤不如季布一諾凡事但得季布一許諾則有勝於百金足下何以得此聲於梁楚間哉且僕與足下皆楚人僕曹丘生自謙称也使僕遊揚足下名於天下言季布此好名声只在梁楚之間將以遊天下而播揚之顧不美乎顧不猶言豈不豈不美乎哉

食言 欲人守信曰望勿食言 肥言 楊子 或問信曰不食其言食言者謂言既出則當信而行之若一出言而不依其言而行則如自食其言 左

哀公二十五年魯哀公宴於五梧是歲哀公自越而歸季康子孟武伯迎哀公宴於五梧之地郭重為公御車。言於公曰二子不臣之言甚多君請盡極以觀之武伯為祝祝上壽酒惡音污郭重平声○武伯惡其貌醜曰何肥也武伯言郭重何大肥也公曰是食言多矣公言郭重之肥。蓋為食言甚多皆郭重以識三桓之食言也。三桓者孟孫叔孫季孫皆魯桓公之後故曰三桓上文孟武伯既言郭重何大肥也復言郭重從君遠行劬勞不宜称肥即自食其言者也能無肥乎公言郭重食言既多安得不肥

推轂 上吐回反下音谷薦人曰推轂 前漢 鄭當時字莊武帝汇大司農前漢大司農為治粟內史掌九穀六畜之供膳羞者候上間去声說候同○上武帝也鄭當時候武帝間有喜悅之時未嘗不言天下長音掌者

其推轂士舊註云薦奉人如車谷運轉○(釋文云)車轂輻之所輳士如車轂之欲其得行也

及官屬丞(通典云)屬官有大倉均輸平準都内籍田五令丞常引以為賢於已鄭當時常有薦賢之心。每候上喜悅之時輒言天下長者及官屬丞賢於已而引進之○山東諸公翕然稱鄭莊武帝曰吾聞鄭莊行千里不賫粮

領袖 倡率作事云作領袖(晉)裴秀八歲能屬音燭文人語曰。後進領袖有裴秀後進。猶言後輩裴秀為後輩作文之倡首若為衣之領袖也

頤指 望人指揮曰頤指。劉夢得云。在公頤指耳言凡在公之動頤領以指揮也

緩頰音結 託人言事云煩緩頰(漢)魏王豹半畔田也及漢王使酈音力生緩頰往說音税之頰。面旁也說以言化人使徑巳也緩頰欲徐言引譬喻也蓋欲其說化之以歸順也

○感佩類

銘心鏤骨鏤音漏 叙感德之深云。銘心鏤骨。銘記也趙林武云。貫心鏤骨。貫穿也。鏤。雕刻也。言感德之深穿貫於心。刻鏤於骨永記而不忘也下文意同李義山云刻鏤心骨

挾纊上賢入声下音曠 感人恩意如挾纊之温挾。懷也。持也纊。細綿也。絮也感人之恩如懷細綿絮之温也(左)宣公十二年楚子代蕭蕭宋之時當國申

公巫臣曰。巫臣屈巫也為楚申邑之尹師人多寒言當冬時士卒多寒凍者王巡三軍莊王乃親行於三軍拊音撫而勉之慰撫而勸勉之三軍之士皆如挾纊三軍之士卒皆悅而忘其寒如挾纊然

綈袍戀戀 綈音啼○已見前第三卷朋友類

結草 誓報答人曰當效結草之報（左）宣公十五年所載魏顆科上声父武子有嬖音閉妾武子魏犨也有寵愛之妾武子疾魏犨初有疾時曰。嫁是言我死後當嫁此妾疾病及其病重之時則曰以殉音旬又言吾死後當以此妾從葬及卒及武子死後顆嫁之其子遂嫁其妾曰疾病則亂魏顆言人病重則昏亂吾從其始也我所以嫁此妾者不從吾父昏亂之言而從其治命也及敗秦師于輔氏獲杜回是歲魏顆與秦桓公戰于輔氏之地虜秦人姓杜名回顆見老人結草以亢杜回魏顆忽見一老人結草以禦杜回回躓音致○杜回因此失足而仆於地故獲之所以為魏顆所虜也夜夢老人曰其夜魏顆夢見老人云余而所嫁婦人之父也而汝也老人言我乃汝所嫁父嬖妾之父也爾用先人之治命言汝既從其父未亂之言不以我女殉葬余是以報我故結草以報德也

啣環 效啣環之報（漢）楊寶行華音化山見一黃雀被瘡為去声蟻損寶收巾箱內採黃花餧音謂之餧食也十餘日愈。旦去暮來忽一日變為黃衣少年與寶雙玉

環曰好掌此環好掌好生收掌勿失此環也累雷上声世為三公太師太傅太保為三公其子震至彪悲叫切累四世太尉光武改大司馬為太尉盖三公之首

○遜謝類

負荊謝罪曰負荊藺音吝相如為趙上卿。位在廉頗右古以右為長。盖為秦昭王約趙惠王會澠池。相如從。及飲酒秦王請趙王鼓瑟。趙王鼓之相如請秦王擊缶為秦声。秦王不肯。相如曰五步之内臣得以頸血濺大王。秦王為一擊缶秦終不能有加於趙趙王歸遂以相如為上卿在廉頗右頗曰。我見相如必辱之頗言我為趙將有攻城野戰之功相如素賤今徒以口舌居我上我羞為之下。我見相如必辱之相如望見頗引車避相如聞之每出望見輒引車避匿親近相如左右之人以為恥。故相如荅以下文之辭曰強秦不敢加於趙者。以吾兩人在。今兩虎共闘勢不俱生吾先國家之急而後私仇。頗聞之肉袒負荊至門謝罪兩人由此遂為刎頸之交

芒刺在背刺音次恐懼不安云芒刺在背（前漢）宣帝謁高帝廟霍光驂乘去声。凡乘車尊者居左御者居中。又一人處車之右以備傾側為驂乘上内嚴憚之上。宣帝也。憚恐惧也若有芒刺在背芒刺。草端也。若草端刺其背而不安

汗顏言慙色曰汗顏（韓文）祭柳子厚不善為斵音作。○斵斫也。雕也

言拙者不能善為雕刻血指汗顔血指者雕琢之器傷其指而流血。或曰血指者執雕琢之器。指生血跡汗顔者。心中急而有慙色。則致汗染其顔面巧匠旁觀巧匠旁觀其拙於雕刻又致傷指汗顔縮手袖間巧匠不斷而旁觀縮手於袖間韓公言子之文章而不用於世如巧匠旁觀乃令吾徒掌帝之制如血指汗顔

顔厚 叙自愧曰顔厚（書）五子之歌曰五子大康之弟仲康也仲康作此歌蓋為大康以逸豫而滅其德民或二心而大康猶不知悔乃安於遊畋之無度言其遠則至于洛水之南言其久則十旬而弗反是則大康自棄其国矣。五子知宗廟社稷危亡之不可救母子兄弟離散之不可保故作歌以自愧兄弟之怨親之過遂以五子之歌為篇名鬱陶乎予心鬱陶哀思也顔厚有忸濃入声怩音泥。○顔厚愧之見於色也。忸怩。愧之發於心也

○哂笑類

哄堂 哄烘声滿座笑曰哄堂（御史分紀）御史有三院一曰臺院。侍御史呼端公御史。又次者一人知雜事謂之雜端。二曰殿院殿中侍御史三曰察院。監察御史每公堂會食雜端在南榻主簿在北榻皆絕笑言會食之際正其顔色。而不笑。不言語若有不可忍者。雜端太笑而三院皆笑。謂之哄堂則不罰

絕倒 極笑曰絕倒（晋）王澄字平子。有髙名每聞衛玠

言輒（音折）歎息絶倒時人語曰。衛玠談道平子絶倒

胡盧掩口笑曰胡盧（說苑）宋愚人得燕石藏之以為大寶（湘中記云陵有石燕遇風雨則飛如真燕且死他用愚者藏之以為宝）周客聞而觀之（周之池有客聞之故往借觀焉）主人齋七日（洗心曰齋）端冕元服以發寶（凡冕服皆正幅袂二尺二寸袂一尺二寸故称端元服冠也。宋之愚人既齋七日又加冠冕元服繅發燕石）革櫃十重（革。皮也。以皮為十重之櫃而藏之）緹（音提）巾十襲（緹。帛赤紅色也。襲。重也。以赤色之帛十重而裹之）客見傥而掩口胡盧而笑曰。燕石也。主人大怒曰。盲瞽之言藏愈固守愈謹

開口笑（莊子）（盜跖篇）其中開中而笑者一月之間不過三四日而已（詳見前第四卷送行類行色之下）

笑粲（穀梁傳）（去声）軍人粲然皆笑（粲。明也。軍衆皆啓齒白也）

見笑大方（莊子）（秋水篇）河伯至北海（河伯即夷弘農華陰人為河伯秋水時至伯川灌河。河伯欣然自喜以天下之美為盡在已順而東行至於北海）望洋向若而歎（洋水流貌又海名若海神也。河伯東南而視不見水端於是焉河伯始旋其面目望洋向若而歎）曰今我睹子之無窮也（睹海之茫茫而无穷无尽）非至子之門則殆矣（言非至北海則危殆而不知海如是之廣也）吾長見笑於大方之家（方道也。大道之家。河伯言我笑大道之家自以為人不及已。亦若我不知海之

寛北海若曰井蛙不可以語於海者

揶揄音耶余（世說）襄陽羅友句人有得郡者桓溫為席送別句友至獨後溫問之答曰旦出門逢一鬼揶揄揶揄舉手相弄也云鬼言我秪見汝送人作郡不見人送汝作郡友慚怖卻回

○夢寐類

胡蝶夢（莊子）齊物論之篇昔者莊周夢為胡蝶莊子名周栩栩音許然胡蝶也栩栩蝶飛貌快也俄然覺音教覺省也。則蘧蘧音渠然周也蘧蘧直貌擅不知周之夢為胡蝶歟歟疑辭胡蝶

之夢為周歟

華胥夢（列子）黃帝晝寢黃帝軒轅也晝寢謂當晝而寐夢遊華胥氏之國既覺音教怡然自得其後天下大治如華胥之國

南柯夢（異聞集）淳于棼音焚醉夢入大槐安國見王。王曰吾南柯音歌郡屈卿為守。句凡二十載使者送出穴。遂寤尋古槐下蟻穴乃槐安國又一穴直上南枝既即南柯郡也柯枝也

夢黃粱（異聞集）呂翁經邯鄲音寒丹道上邸舍中句有

少年盧生自歎貧困言訖思睡主方炊黄粱翁探（音貪）囊中一枕以授生（綵取也）曰枕（音衆）此則榮遇如意（枕胎頭也）生枕之夢自枕竅（喬去声）入其家身歷富貴五十年。老病而卒。欠伸而寤。顧呂翁在傍。主人炊黄粱猶未熟。生謝曰。先生以此窒（音只）吾之欲（窒。止塞也）

黑甜 東坡發廣州詩三盃軟飽後（軟飲酒也）一枕黑甜餘（浴謂睡曰黑甜）

鼻息雷 元稹詩鼻息孔春雷

少年盧生自歎貧困言訖思寐主人方蒸黃粱炊

翁音 夢中一枕以授生也瓷 曰枕此則榮適如意

須枕也竅出 生枕之夢自枕竅古竅末 入其家身歷富貴五

十年。老病而卒。欠伸而寤。顧呂翁在傍。主人蒸黃

渥酒 粱未熟生謝曰。先生以此窒吾之欲。寒窒也止

黑甜 東坡發廣州詩三盃軟飽後酒軟飽也謂一枕黑甜餘

曰汾里謂甜睡

鼻息雷 元稹詩鼻息吼春雷